A PALAVRA CONTRA O MURO
ZEIT DER
WIDRIGKEITEN

Pedro Tierra

A PALAVRA CONTRA O MURO

ZEIT DER WIDRIGKEITEN

POEMAS GEDICHTE

**TRADUÇÃO DE CURT MEYER-CLASON
E SARITA BRANDT**
ÜBERTRAGEN VON CURT MEYER-CLASON
UND SARITA BRANDT

GERAÇÃO

Publicado originalmente sob o título | Erstveröffentlichung unter dem Titel:
Zeit der Widrigkeiten. Poemas – Gedichte
(c) Edition diá, Berlin 1990 | www.editiondia.de

Copyright © 2013 by Pedro Tierra

1ª edição – 1990 Edition Diá
2ª edição – 2013 Geração Editorial

Grafia atualizada segundo o Acordo Ortográfico da Língua Portuguesa
de 1990, que entrou em vigor no Brasil em 2009

Editor e Publisher
Luiz Fernando Emediato

Diretora Editorial
Fernanda Emediato

Produtora Editorial e Gráfica
Priscila Hernandez

Assistente Editorial
Carla Anaya Del Matto

Capa, Projeto Gráfico e Diagramação
Alan Maia

Revisão
Sarita Brandt
Helmut Lotz
Josias A. Andrade

DADOS INTERNACIONAIS DE CATALOGAÇÃO NA PUBLICAÇÃO (CIP)
(Câmara Brasileira do Livro, SP, Brasil)

Tierra, Pedro
  A palavra contra o muro = Zeit der Widrigkeiten /
Pedro Tierra ; tradução/übertragem von Curt Meyer-Clason
e Sarita Brandt. – São Paulo : Geração Editorial, 2013.

  Edição bilíngue: português/alemão.
  ISBN 978-85-8130-206-5

  1. Poesia brasileira I. Título: Zeit der Widrigkeiten.
II. Título.

13-09787   CDD: 869.91

Índices para catálogo sistemático

1. Poesia : Literatura brasileira 869.91

GERAÇÃO EDITORIAL

Rua Gomes Freire, 225 – Lapa
CEP: 05075-010 – São Paulo – SP
Telefax: (+ 55 11) 3256-4444
Email: geracaoeditorial@geracaoeditorial.com.br
www.geracaoeditorial.com.br
twitter: @geracaobooks

Impresso no Brasil
Printed in Brazil

ÍNDICE INHALT

8	**O Poeta Pedro Tierra** Der Dichter Pedro Tierra	[SB]
15	**Poemas** Gedichte	
16	**Com Estas Mãos** Mit diesen Händen	[SB]
18	**Peregrino** Pilger	[SB]
22	**Refluir...** Zurückfließen ...	[CMC]
24	**O Capuz** Die Kapuze	[CMC]
26	**»Rosa«** »Rosa«	[CMC]
28	**Canto Escuro** Dunkler Gesang	[CMC]
30	**Oficina** Werkstatt	[SB]
32	**A Razão do Poema** Der Grund des Gedichts	[CMC]
36	**Testemunha** Zeuge	[CMC]
40	**Ressurreição** Auferstehung	[CMC]
44	**Canto para Renascer** Lied der Wiedergeburt	[CMC]
50	**Regresso à Terra** Rückkehr zur Erde	[CMC]
54	**O Muro** Die Mauer	[CMC]
56	**A Hora dos Ferreiros** Die Stunde der Schmiede	[SB]
60	**Os Meninos do NÃO** Die Kinder des NEIN	[SB]
62	**Trama** Gewebe	[SB]
64	**O Molde** Die Vorlage	[SB]
66	**Recomeço** Neubeginn	[SB]
70	**Ana Terra** Ana Terra	[SB]
72	**Metal e Sonho** Metall und Traum	[SB]
76	**Inventar o Fogo** Das Feuer erfinden	[SB]

O POETA PEDRO TIERRA

Os primeiros manuscritos de Pedro Tierra chegaram à Europa em meados da década de setenta; foram-me oferecidos por um homem que até então eu desconhecia, chamado José Ferreira. Tencionavam, com a publicação dos poemas, arranjar recursos para o movimento de oposição no Brasil, escreveu-me Ferreira de Paris; e que o autor estava preso havia três anos por motivos políticos, fora tarefa extremamente difícil conseguir que os textos saíssem clandestinamente da prisão.

No dia a dia de um editor, segue-se, às vezes, uma pista sem saber ao certo porque; outras pistas são abandonadas sem motivo aparente, e se perdem para sempre. Este impulso proveniente do Brasil teve um impacto muito grande, seu rastro nunca se perdeu – até os dias de hoje.

O que me sensibilizou, neste caso, foi a ingenuidade do projeto: pretender angariar fundos na Alemanha com poemas do Brasil, fundos para a resistência política. Assim, marquei encontro com José Ferreira em Frankfurt.

Foi um encontro que jamais esquecerei. Para mim, esse homem ainda hoje é a expressão daquilo que o movimento operário na América Latina tem de melhor, a moral de uma resistência insubornável, uma postura interior que lhe dava forças para enfrentar as maiores privações no exílio o qual lhe exigia – como vim a saber mais tarde – suportar mesmo o insuportável.

Durante o diálogo com José Ferreira nasceu a ideia de editar um outro livro, mais comercial, destinado unicamente à causa por ele defendida no Brasil; todos os honorários reverteriam em benefício da luta política. Foi possível convencer Conrad Contzen, fotógrafo e tipógrafo, da Vestfália, a realizar comigo, na Editora Peter Hammer, o projeto do livro »Um Novo Céu – Uma Nova Terra«.

Fizemos uma viagem ao Brasil como simples turistas; cruzamos o país em todas as direções, buscando histórias e colhendo

DER DICHTER PEDRO TIERRA

Die ersten Manuskripte von Pedro Tierra kamen Mitte der siebziger Jahre nach Europa; sie wurden von einem mir bis dahin unbekannten Mann namens José Ferreira angeboten. Man wolle versuchen, so schrieb mir Ferreira aus Paris, durch die Herausgabe der Gedichte Geld zu verdienen, das dem Widerstand in Brasilien zugutekommen solle; der Autor säße seit drei Jahren aus politischen Gründen im Gefängnis, die Texte seien unter großen Schwierigkeiten herausgeschmuggelt worden.

Manchmal verfolgt man in einem Verlegeralltag eine Spur, ohne sagen zu können, weshalb; andere Spuren werden ebenso ohne sichtbare Gründe aufgegeben und verlieren sich für immer. Diese Anregung aus Brasilien hat viel in Bewegung gebracht, ihre Spur hat sich nie verloren – bis heute.

Mich hatte in diesem Fall die Naivität des Vorhabens angerührt, in Deutschland mit Gedichten aus Brasilien Geld für den politischen Widerstand verdienen zu wollen. Also traf ich mich mit José Ferreira in Frankfurt.

Die Begegnung mit diesem Mann bleibt mir unvergesslich. Er verkörpert für mich bis heute das Beste lateinamerikanischer Arbeiterbewegung, das Ethos eines unbestechlichen Widerstandes, eine innere Haltung, die ihn zu größten Entbehrungen im Exil befähigte, das ihm – wie ich später erfuhr – Unglaubliches abverlangte.

In diesem Gespräch mit José Ferreira wurde der Gedanke geboren, ein anderes, verkäufliches Buch eigens für seine Anliegen in Brasilien zu machen; alle Honorare sollten dem Widerstand zugutekommen. Conrad Contzen, Fotograf und Drucker aus Westfalen, wurde gewonnen, das Buchprojekt »Ein neuer Himmel – Eine neue Erde« mit mir im Peter Hammer Verlag zu verwirklichen.

Wir reisten als Touristen nach Brasilien, kreuz und quer durch das Land, und sammelten Geschichten, Erfahrungen, immer auf den

experiências, sempre no encalço da esperança e da luta contra a ditadura. Centenas de portas se nos abriram e, pouco a pouco, fomos obtendo uma ideia da enorme teia de resistência e solidariedade que cobria a imensidão deste país, uma teia que englobava tanto grupos religiosos, sindicais e partidários como também movimentos populares, sedes de dioceses e paróquias até os confins do Amazonas.

Inesperadamente foi-nos apresentado, numa tarde ensolarada, no jardim da casa do bispo Dom Tomás Balduíno, o poeta Pedro Tierra. Acabara de sair da prisão. No rosto delgado, extenuado – recordo – jaziam dois olhos ardentes, radiantes, de uma intensidade incrível. A tortura não conseguira dobrar este homem. Sem que eu soubesse como, ele e também o bispo estavam informados sobre os meus contatos com José Ferreira.

O livro »Um Novo Céu – Uma Nova Terra« saiu e foi vendido com uma tiragem de 35.000 exemplares; nele foram publicados, pela primeira vez, alguns textos de Pedro Tierra sob o seu verdadeiro nome, Hamilton Pereira Silva. O significado desses textos para centenas de milhares de brasileiros durante os anos de luta contra uma ditadura militar brutal é inestimável. Pedro Tierra assentou com suas palavras a pedra angular da visão de um futuro melhor, baniu os pesadelos do presente e libertou o pensamento do inferno da desesperança e do desespero. A repercussão dos seus escritos transcende amplamente a sua apreciação literária; fizeram e ainda fazem parte de uma espiritualidade invejável, na qual a linguagem, a poesia e a ação política têm como destinatário o ser humano e florescem »contra todas as formas de morte«. Para Pedro Tierra, o credo começa e acaba no homem que sofre e espera:

> A poesia não marca hora.
> Hoje, como há trinta anos,
> está nos jornais.
> Foi pisada, cuspida, torturada...

e mais adiante, no mesmo poema:

> Nenhuma investida dos cavaleiros da morte
> será silenciada.

Spuren der Hoffnung und des Widerstandes. Hunderte von Türen öffneten sich uns, und wir bekamen nach und nach eine Vorstellung davon, wie hier in diesem unermesslich großen Land ein riesiges Netz des Widerstandes und der Solidarität wirksam war, das kirchliche, gewerkschaftliche und parteiliche Gruppen ebenso umfasste wie Bürgerinitiativen, Bischofssitze und Pfarreien bis in den hintersten Winkel des Amazonas.

An einem sonnigen Nachmittag wurde uns im Garten des Bischofs Dom Tomás Balduíno völlig unerwartet der Dichter Pedro Tierra vorgestellt. Er war gerade aus dem Gefängnis entlassen worden. In dem hageren, ausgezehrten Gesicht – so erinnere ich mich – lagen zwei brennende, strahlende Augen von unwahrscheinlicher Intensität. Die Folter hatte diesen Mann nicht brechen können. Er – und auch der Bischof – war über meine Gespräche mit José Ferreira auf unbekannte Weise informiert.

Das Buch »Ein neuer Himmel – Eine neue Erde« erschien und wurde in einer Auflage von 35.000 Exemplaren verkauft; hier wurden – unter seinem eigentlichen Namen Hamilton Pereira Silva – erstmals einige der Texte von Pedro Tierra veröffentlicht. Die Bedeutung dieser Texte für Hunderttausende in Brasilien während der Jahre des Widerstandes gegen eine brutale Militärdiktatur kann wohl gar nicht überschätzt werden. Pedro Tierra formte in Worten die Eckpfeiler einer Zukunftsvision, bannte Albträume der Gegenwart und befreite das Denken vom Inferno der Hoffnungslosigkeit und des Verzweifelns. Die Wirkung seiner Texte geht weit über ihre literarische Einschätzung hinaus; sie waren und sind Teil einer beneidenswerten Geistigkeit, in der Sprache, Poesie und politisches Handeln sich dem Menschen zuwenden und »gegen alle Formen des Todes« aufblühen. Pedro Tierras Credo beginnt und endet beim leidenden und hoffenden Menschen:

    Die Dichtung kennt keine Stunde.
    Heute wie vor dreißig Jahren
    findet sie sich in den Zeitungen.
    Sie wurde getreten, bespuckt, gefoltert ...

und an anderer Stelle im gleichen Gedicht:

    Kein Angriff der Todesritter
    wird verschwiegen.

E se vier a tortura, ou a morte,
a marcha para o sol reunirá
os pedaços dispersos do meu corpo...
E o canto do Povo sobre a cidade aberta
não me surpreenderá adormecido.

Nós não dispomos, na *nossa* literatura, diante das *nossas* ameaças, de nenhuma voz poética semelhante. Será esta uma ênfase e uma moral para as quais nos falta a coragem, e que se apagaram com os poetas Schiller e Heine para todo o sempre? Ou não mais se encontrarão, em nossas latitudes, visões de uma vida futura diferente? Aqui, no nosso país, as investidas dos cavaleiros da morte porventura serão silenciadas? Alguém ainda estará à espera do canto do Povo sobre a cidade aberta?

Assim, quase todos os versos deste poeta são perguntas dirigidas a nós. O leitor sentirá, cada vez mais, que não se trata de um poeta longínquo: suas metáforas, visões e maldições, seus esconjuros e suas acusações são causa nossa, a da sobrevivência da humanidade una.

É bom que seus poemas sejam publicados agora em língua alemã: textos repletos de um amor armado, que renegam definitivamente a morte.

Hermann Schulz

> Und sollte die Folter kommen oder der Tod,
> wird der Lauf zur Sonne die verstreuten Teile
> meines Körpers wieder einen ...
> Und der Gesang des Volkes
> über der offenen Stadt
> wird mich nicht schlafend überraschen.

Wir haben in *unserer* Literatur angesichts *unserer* Bedrohungen keine ähnliche dichterische Stimme. Ist dies ein Pathos und Ethos, zu denen wir keinen Mut mehr haben, die mit den Dichtern Schiller und Heine für alle Zeiten erloschen sind? Oder finden sich in unseren Breitengraden keine Visionen eines zukünftigen anderen Lebens? Werden hierzulande die Angriffe der Todesritter verschwiegen? Erwartet noch jemand den Gesang des Volkes über der offenen Stadt?

So ist fast jede Zeile dieses Dichters eine Frage an uns. Mehr und mehr wird der Leser spüren, dass dies kein Dichter aus der Ferne ist: Seine Sprachbilder, Visionen und Flüche, seine Beschwörungen und Anklagen sind unsere Sache, die des Überlebens der einen Menschheit.

Es ist gut, dass seine Gedichte jetzt in deutscher Sprache erscheinen: Texte voll einer bewaffneten Liebe, die dem Tod eine endgültige Absage erteilen.

Hermann Schulz

POEMAS
GEDICHTE

COM ESTAS MÃOS

Ao companheiro Jonas, torturado até a morte
em 29 de setembro de 1969

Cultivarei o chão da manhã.
Com estas mãos
Ainda algemadas.
Não importa o sangue,
se ele brota dos meus dedos
ou da terra ferida.
Não importa se a colheita de luz tarda,
ou se os depósitos da noite permanecem intactos.
Não importa que a passagem do inimigo
só tenha deixado destroços.
Cultivarei o chão da manhã,
embora, hoje, eu deva recompor
o corpo de meu irmão feito em pedaços.
Não importa se tarda a colheita de luz.

Pedro Tierra

MIT DIESEN HÄNDEN

Für den Gefährten Jonas, der am 29. September 1969
zu Tode gefoltert wurde

Ich werde den Boden des Morgens bestellen.
Mit diesen Händen,
die jetzt noch gefesselt sind.
Was macht es, ob Blut
aus meinen Fingern quillt
oder aus der verwundeten Erde.
Was macht es, wenn die Ernte des Lichts dauert
oder das Erbe der Nacht unangetastet bleibt.
Was macht es, dass nach dem Durchzug des Feindes
nur Trümmer geblieben sind.
Ich werde den Boden des Morgens bestellen,
obwohl ich heute den zerstückelten Leib
meines Bruders zusammenfügen muss.
Es macht nichts, wenn die Ernte des Lichts dauert.

PEREGRINO

Deixar durante a noite a porta aberta,
sem medo de perder os bens,
sem medo de perder-se...

O irmão que era pobre
e perdeu a casa no incêndio,
possa entrar de mansinho
e dormir sob seu teto,
sem a humilhação de pedir.

E se vá pela manhã, dentro da névoa,
assim como veio, solitário e livre,
sem explicações penosas.

E vocês não mais se encontrem,
e, encontrando, não se reconheçam
nem se sintam atados um ao outro,
além desse laço imperceptível
que une dois homens perseguidos.
Ele reconheça, não por palavras suas,
mas pela boca dos pobres
que a vontade de justiça prossegue...

O frio da noite, contudo,
não o alcance no deserto
e ele encontre entre o povo
o hábito de abrigar os fugitivos.

Pedro Tierra

PILGER

Nachts die Tür offen lassen,
ohne Furcht um Besitz,
ohne Furcht um sich selbst ...

Der Bruder, der arm war
und dessen Haus vom Feuer zerstört wurde,
möge ganz leise eintreten können
und unter deinem Dache schlafen,
ohne demütig darum bitten zu müssen.

Und gegen Morgen, im Nebel,
möge er gehen können, wie er kam, einsam und frei,
ohne lästige Erklärungen.

Möget ihr euch nicht wieder treffen
oder, falls ihr euch trefft, weder erkennen
noch aneinander gebunden fühlen
außer durch jenes unsichtbare Band,
das zwei verfolgte Menschen eint.
Nicht durch deine Worte möge er erfahren,
sondern aus dem Mund der Armen,
dass das Streben nach Gerechtigkeit weiterlebt ...

Die Kälte der Nacht indes
möge ihn in der Wüste nicht erreichen,
beim Volk aber möge er den Brauch vorfinden,
dem Flüchtling Unterschlupf zu gewähren.

A PALAVRA CONTRA O MURO ZEIT DER WIDRIGKEITEN

À luz da candeia
receba em silêncio
notícias da luta:

homens fatigados
se batem na planície.

Homens endurecidos
resistem na planície.

E se vá pela manhã, dentro da névoa
a retomar o caminho interrompido.
Nos ombros, escassa bagagem de peregrinos:
a rede grossa, de algodão, puída,
o rifle curto, herança de revoltas.

Pedro Tierra

Im flackernden Lichtschein
möge er schweigsam
Nachrichten vom Kampf erhalten:

Erschöpfte Männer
schlagen sich in der Ebene.

Hart gewordene Männer
widerstehen in der Ebene.

Und gegen Morgen, im Nebel,
möge er den unterbrochenen Weg wieder aufnehmen.
Auf den Schultern das spärliche Gepäck des Pilgers:
die abgenutzte, grobe Hängematte aus Baumwolle,
das kurze Repetiergewehr, Erbe vergangener Aufstände.

REFLUIR...

Ao companheiro Iuri Xavier Pereira,
assassinado em junho de 1972 em São Paulo

A essa hora restam poucos amigos.
A casa está em cinzas, os irmãos mortos,
o inimigo armado na esquina.

Um grito agora se perderia na poeira,
no sono da rua desabitada.
Guarda-o, pois, até a madrugada,

reúne tuas forças em silêncio,
engraxa, cuidadoso, tuas armas,
confere a munição contada e espera...

Vigia na sombra o vulto do inimigo,
mas, sobretudo, ouve o despertar do povo,
percebe nos dedos a bruma a desatar

promessas de rebeldia.
Eis aí a tua hora:
levanta barricadas
              e entrega ao povo os fuzis
              dos camaradas mortos!

Pedro Tierra

ZURÜCKFLIESSEN ...

Dem Gefährten Iuri Xavier Pereira,
ermordet Juni 1972 in São Paulo

In dieser Stunde bleiben wenige Freunde.
Das Haus ist niedergebrannt, die Brüder sind tot,
der Feind steht bewaffnet an der Ecke.

Jetzt würde sich ein Aufschrei im Staub verlieren,
im Schlaf der menschenleeren Straße.
Hebe ihn daher auf bis zum Morgengrauen,

sammle deine Kräfte in der Stille,
öle sorgfältig deine Waffen,
überprüfe deine abgezählte Munition und warte ...

Verliere im Halbdunkel den Schatten des Feindes nicht aus den Augen,
vor allem aber höre das Erwachen des Volkes,
fühle an deinen Fingern den Nebel,

der Verheißungen des Aufstandes entfesselt.
Deine Stunde ist nun da:
Errichte Barrikaden,
          und übergib dem Volk die Gewehre
          der toten Kameraden!

O CAPUZ

Cá está o capuz sobre a grade.
Traz consigo uma segura
promessa de dor. Na boca
do sentinela um meio riso.

Cá está uma parcela da noite
cobrindo meu rosto.
A mão de meu inimigo
determina o caminho.

Pelos corredores aprendi
o jeito inseguro dos cegos.
As mãos tateando a parede.
Sob os pés a escada imprevista,

o degrau a mais, a queda,
o riso dos soldados,
o gesto perdido buscando
uma porta que não houve.

O passar dos dias
e as cicatrizes no corpo
ensinaram-me esse caminho.
Nos dedos guardei as arestas,

o ferro das portas,
o fio dos dínamos.
No dorso a marca
desses dias de sombra.

O capuz repete a dor
no corpo de cada combatente,
uma dor mercenária
recrutada a serviço da noite.

Pedro Tierra

DIE KAPUZE

Da hängt die Kapuze an dem Gitter.
Sie bringt ein sicheres Versprechen
von Schmerz mit sich. Der Mund
des Wachpostens – ein halbes Lachen.

Jetzt bedeckt ein Teil der Nacht
mein Gesicht.
Die Hand meines Feindes
bestimmt den Weg.

Auf den Korridoren lernte ich
den unsicheren Gang der Blinden.
Die Hände tasten die Wände ab.
Unter den Füßen die unerwartete Treppe,

die überzählige Stufe, der Sturz,
das Gelächter der Soldaten,
die hilflose Gebärde auf der Suche
nach einer nicht vorhandenen Tür.

Das Verstreichen der Tage
und die Narben am Körper
haben mich diesen Weg gelehrt.
Meine Finger haben die Kanten bewahrt,

die Eisen der Türen,
den Draht der Generatoren.
Auf dem Rücken die Narbe
jener düsteren Tage.

Die Kapuze wiederholt den Schmerz
im Körper eines jeden Kämpfers:
ein Schmerz wie ein Söldner
im Dienste der Nacht.

»ROSA«

Andaremos sem roteiros
por uma cidade armada.
Se as mãos se tocarem
não fujas, enlaçados

não guardem teus dedos,
ao fim da tarde,
apenas o frio
ferro das granadas.

Se vier o cansaço
não resistas, repousa
no meu ombro
a cabeça fatigada,

e o gesto de carinho
banhe teus olhos
na fugitiva luz
de meteoros no mar.

Mas se a fadiga trouxer
consigo alguma dúvida,
abre teus olhos infinitos
e repara em volta

a cidade ferida.
Ouve na sombra
o surdo labor da semente
largada no chão da rua.

Chega na boca do povo
um silêncio de planta
absorta, a desatar sua flor,
enfim, liberta...

Pedro Tierra

»ROSA«

Ohne Plan werden wir
durch eine bewaffnete Stadt wandern.
Sollten unsere Hände sich berühren,
fliehe nicht, mögen

deine Finger in meiner Hand
gegen Abend
nicht nur das kalte Eisen
der Granaten bewahren.

Sollte die Müdigkeit kommen,
widerstehe nicht, lehne
deinen erschöpften Kopf
an meine Schulter,

und die zärtliche Geste
möge deine Augen baden
im flüchtigen Licht
von Meteoren im Meer.

Aber wenn die Ermattung
einen Zweifel mit sich bringt,
schlag deine unergründlichen Augen auf
und gewahre ringsum

die verwundete Stadt.
Höre im Halbdunkel
das lautlose Keimen der
ausgestreuten Saat auf der Straße.

Im Mund des Volkes reift
still und zielstrebig eine Pflanze,
die ihre endlich befreite
Blüte öffnet ...

CANTO ESCURO

À companheira Gastone Beltrão,
assassinada em 21 de janeiro de 1972

Não perdi teus olhos
como julgava...
Teu rosto de menina
que fugiu do arco-íris.

Não perdi a força de tuas mãos
elaborando manhãs.
A arma na gaveta
permanece muda,

esperando outras mãos
brotarem de tua ausência.
Este é um tempo sem flores.
E o canto, escuro, fere a boca.

Mas entre os filhos do povo,
alguém tece um canto humilde
e recolhe flores inéditas
para deixar sobre o teu túmulo,
que, por ora, ignoramos.

Pedro Tierra

DUNKLER GESANG

Für die Gefährtin Gastone Beltrão,
ermordet am 21. Januar 1972

Ich habe deine Augen nicht verloren,
wie ich meinte ...
Dein Kindergesicht,
das dem Regenbogen entwich.

Ich habe die Kraft deiner Hände nicht verloren,
die neue Morgen zeugten.
Die Waffe in der Schublade
bleibt stumm

und wartet auf andere Hände,
die dein Fehlen hervorbringt.
Dies ist eine Zeit ohne Blumen.
Und der dunkle Gesang verletzt den Mund.

Doch unter den Kindern des Volkes
webt jemand ein einfaches Lied
und pflückt seltene Blumen,
um sie auf dein Grab zu legen,
das wir vorerst nicht kennen.

OFICINA

»Hay que endurecerse,
pero sin perder la ternura jamás.« Che Guevara

Ao companheiro Luiz José da Cunha,
assassinado em julho de 1973

Há nesta cidade uma oficina.
Há nesta noite uma oficina.
Os ferreiros são apenas sombras,
na hora tardia dos encontros.

Reter a palavra quando o gesto é possível.
Descer a rua como a bruma sobre o mar.
O vigia não perceba mais que o vento,
um sereno mais intenso.

Há neste país uma oficina.
Há uma oficina na América.
Percebemos daqui o martelar das ordens:
recortar no aço o rosto dos ferreiros,

a mão taciturna dos ferreiros.
Trabalhar no ferro a vontade
dos escolhidos, a alma retificada
na dor, a crença que resistiu purificada.

Há na madrugada uma oficina.
Há no sangue do povo uma oficina
de reservas infinitas,
que se reconstrói a cada minuto.

Você, companheiro, encontre os homens
que labutam na forja
e diga a eles por mim:
não malhem na bigorna sem ternura.

Pedro Tierra

WERKSTATT

»Wir müssen hart werden,
ohne jemals die Zärtlichkeit zu verlieren.« Che Guevara

*Für den Gefährten Luiz José da Cunha,
ermordet Juli 1973*

Es gibt in dieser Stadt eine Werkstatt.
Es gibt in dieser Nacht eine Werkstatt.
Die Schmiede sind nicht mehr als Schatten
in der späten Stunde der Zusammenkunft.

Das Wort zurückhalten, wenn die Geste möglich ist.
Die Straße entlanggehen, wie der Nebel übers Meer gleitet.
Der Wächter spüre nicht mehr als den Wind,
als einen feuchteren Nachttau.

Es gibt in diesem Land eine Werkstatt.
Es gibt eine Werkstatt in América.
Von hier aus vernehmen wir die hämmernden Befehle:
Schneidet aus Stahl das Gesicht der Schmiede,

die ruhige Hand der Schmiede.
Arbeitet in das Eisen den Willen
der Erwählten ein, die im Schmerz gereinigte Seele,
den Glauben, der geläutert widerstand.

Es gibt eine Werkstatt in der Morgendämmerung.
Es gibt im Blut des Volkes eine Werkstatt
mit unendlichen Reserven,
die sich in jeder Minute erneuert.

Du, Gefährte, geh zu den Männern,
die in der Schmiede arbeiten,
und sag ihnen an meiner Statt:
Schlagt nicht ohne Zärtlichkeit auf den Amboss ein.

A RAZÃO DO POEMA

Prometi nunca render-me
ao verso fácil.
À poesia-nuvem,
fluida substância sem contorno.
Não fuja do meu sangue o verso vago,
alheio ao barro amargo do Tempo.

Eu quis o gume,
        a aresta,
                o vinco.

Recusei o lírio
das feiras semanais de flores mortas.

Eu quero um poema-dor,
arrancado aos pedaços
da carne da vida.
Aqui está ele
sangrando meus dedos
no cimento da cela.

A poesia não marca hora.
Hoje, como há trinta anos,
está nos jornais.
Foi pisada,
        cuspida,
               torturada:
contra todas as formas de morte
floresce.

Pedro Tierra

DER GRUND DES GEDICHTS

Ich habe versprochen, mich nie
dem leichten Vers zu ergeben.
Der Wolkendichtung,
flüchtigem Stoff ohne Kontur.
Meinem Blut entfliehe nicht der vage Vers,
der dem bitteren Lehm der Zeit fremd bleibt.

Ich wollte die Schneide,
               die Kante,
                             den Bruch.

Ich verweigerte die Lilie
vom Wochenmarkt der toten Blumen.

Ich will ein Schmerzgedicht,
will es stückweise entreißen
dem Fleisch des Lebens.
Hier ist es,
lässt meine Finger bluten
auf dem Zementboden der Zelle.

Die Dichtung kennt keine Stunde.
Heute wie vor dreißig Jahren
findet sie sich in den Zeitungen.
Sie wurde getreten,
               bespuckt,
                       gefoltert:
Gegen alle Formen des Todes
blüht sie.

A PALAVRA CONTRA O MURO ZEIT DER WIDRIGKEITEN

Eu a encontrei num dia de chuva,
durante o combate.
Trazia um vento de Liberdade na boca
e a metralhadora nas mãos.

Ensinou-me o fogo
e a palavra.
Lavrou-me nos pés o roteiro
dos caminhos que percorrerei:

nenhuma dor visite a casa de meu irmão
sem se fazer lágrima nos meus olhos.
Nenhuma investida dos cavaleiros da morte
será silenciada.
E se vier a tortura, ou a morte,
a marcha para o sol reunirá
os pedaços dispersos do meu corpo...
E o canto do Povo sobre a cidade aberta
não me surpreenderá adormecido.

Pedro Tierra

Ich begegnete ihr an einem Regentag
während des Kampfes.
Im Mund den Wind der Freiheit
und in den Händen das Maschinengewehr.

Sie lehrte mich das Feuer
und das Wort.
Sie prägte in meine Fußsohlen die Spuren
der Wege, denen ich folgen werde:

Kein Schmerz kehre in das Haus meines Bruders ein,
ohne zur Träne in meinen Augen zu werden.
Kein Angriff der Todesritter
wird verschwiegen.
Und sollte die Folter kommen oder der Tod,
wird der Lauf zur Sonne die verstreuten Teile
meines Körpers wieder einen ...
Und der Gesang des Volkes über der offenen Stadt
wird mich nicht schlafend überraschen.

TESTEMUNHA

17.00 horas

Meus olhos não anoitecem e sei:
não era este o corpo que usavas
para caminhar entre os homens.
Tua carne é apenas tua dor.

19.30 horas

Com os dedos da memória
vigio:
a cabeça cortada em pedaços
de negro e relâmpago
pelas agulhas dos dínamos.
Os dentes cariados do algoz
trituram o grito dos teus ossos.

23.00 horas

Durante séculos enterrados
meus olhos não se fecharam.
Um gosto de vidros estilhaçados
risca a garganta e a alma.
Sinto, na sombra, o brilho dos punhais
a percorrer o corpo,
devastado território
de madeiras em fúria.

ZEUGE

17.00 Uhr

Meine Augen verschließen sich nicht, und ich weiß:
Es war nicht dieser Leib, den du gebrauchtest,
um unter den Menschen zu wandeln.
Dein Fleisch ist nur noch dein Schmerz.

19.30 Uhr

Mit den Fingern der Erinnerung
halte ich Wache:
Mein Kopf ist zerstückelt
in Schwärze und Blitz
aus den Nadeln der Generatoren.
Die angefaulten Zähne des Scharfrichters
zermalmen den Aufschrei deiner Knochen.

23.00 Uhr

Jahrhundertelang begraben,
haben sich meine Augen nicht geschlossen.
Ein Geschmack von zersplittertem Glas
zerkratzt Rachen und Seele.
Ich spüre im Halbdunkel, wie blitzende Dolche
den Körper zermartern,
verwüstetes Gebiet
rasenden Holzes.

03.00 horas

Como um cego de olhos eternos,
a quem as facas do Tempo
arrancaram o véu das pálpebras
vigio:
pasto de tempestades,
tua carne extingue
a brasa dos cigarros
num lago de sangue
e cinzas...

05.45 horas

A garganta dos corredores
devora tua vida:
fardo de sobressaltos.

Meu peito não se cerrou.
Sobrevivente,
aqui te recebo:
bagaço devolvido
pelas oficinas da morte.

Sinto crescer o coração no peito,
fogueira ardendo em madeira antiga,
poema indeciso a desatar-se
da alma inconsútil do teu silêncio.

Pedro Tierra

03.00 Uhr

Wie ein Blinder mit ewigen Augen,
dem die Messer der Zeit
den Schleier der Augenlider entrissen,
halte ich Wache:
Futter der Gewitterstürme,
dein Fleisch löscht aus
die Glut der Zigaretten
in einem See aus Blut
und Asche ...

05.45 Uhr

Der Schlund der Korridore
verschlingt dein Leben:
Last der Schrecken.

Meine Brust hat sich nicht verschlossen.
Dich, Überlebender,
nehme ich hier in Empfang:
von den Werkstätten des Todes
zurückgegebener Auswurf.

Ich fühle, wie das Herz in der Brust sich weitet,
ein in altem Holz glühendes Feuer,
zögernd entspringt ein Gedicht
der ungebrochenen Seele deines Schweigens.

RESSURREIÇÃO

Você veio, deitou raízes, fugiu.
Raízes fundas num peito votado
ao silêncio ressentido das pedras.

Redescobri, em teu corpo, minhas mãos
que nestes anos só souberam de algemas.
Há quanto tempo estas mãos perderam
o gesto de carinho,
o jeito de tomar teu rosto,
mergulhar os dedos nos teus cabelos...

Há quanto tempo o gosto de sal,
o grito atravessado na garganta,
a palavra seca feito punhal
ferindo o lábio...

Você veio como quem chega
da última invenção do mar.
Lavrou meu peito
com o sangue dos vulcões,
tocou-me o rosto
como os dedos do orvalho
banham o penhasco dos caminhos.

Você veio da pátria do silêncio
como o último pássaro
emudecido pelo espanto.

Pedro Tierra

AUFERSTEHUNG

Du kamst, schlugst Wurzeln, flohst.
Tiefe Wurzeln in meiner Brust,
dem gekränkten Schweigen der Steine verschrieben.

An deinem Körper entdeckte ich meine Hände wieder,
die seit Jahren nur von Fesseln wissen.
Seit wie langer Zeit haben diese Hände
die Geste der Liebkosung vergessen,
die Art und Weise, dein Gesicht zu fassen
und die Finger in dein Haar zu tauchen ...

Wie lange schon der Geschmack von Salz,
der in der Kehle steckende Schrei,
das schneidende, trockene Wort,
das die Lippen verletzt ...

Du kamst wie ein soeben vom Meer
erfundenes Geschöpf,
zeichnetest meine Brust
mit dem Blut der Vulkane,
berührtest mein Gesicht,
wie die Finger des Taus netzen
die Felshänge am Wege.

Du kamst aus der Heimat des Schweigens
wie der letzte Vogel,
stumm vor Entsetzen.

Você me olhou, mulher...
Como se estivesse dentro de mim
e guardasse todas as respostas,
(E foi como se um vento torturado
até a solidão ou a loucura
me devolvesse a alma da tempestade!)

Você sabia de mim mil anos antes
e trazia no corpo a semente
de novas bandeiras.

Pedro Tierra

Du, Frau, sahst mich an ...
Als wärest du in mir
und wüsstest alle Antworten.
(Und es war, als gäbe mir
ein in Einsamkeit und Wahnsinn
getriebener Wind die Seele des Sturms zurück!)

Du wusstest von mir schon tausend Jahre zuvor
und brachtest im Körper die Saat
neuer Fahnen.

CANTO PARA RENASCER

»Sube a nacer conmigo, hermano.«
Pablo Neruda

Para Antônio Benetazzo, assassinado

Dá-me tuas mãos de ausência,
                              irmão,
desde a profunda escuridão
de tua dor, sepultada
por séculos de mentira.

Pela palavra
– verso vazado,
espada de sol
e centelha –
te resgatarei
do chão dos mortos.

Em minha boca
de clamores e silêncios
retomas nesta hora tardia
do tempo que te sucede,
a lenta substância dos rios.

Por teus próprios passos
retornas das cinzas
que a morte te impôs.
Rebelado e incorpóreo
visitas os depósitos murados
pelas baionetas do Tempo.

Pedro Tierra

LIED DER WIEDERGEBURT

»Steige auf mit mir zur Geburt, mein Bruder.«
Pablo Neruda

Für Antônio Benetazzo, ermordet

Reich mir deine Hände der Abwesenheit,
                              Bruder,
aus der tiefen Dunkelheit
deines Schmerzes, begraben
unter Jahrhunderten der Lüge.

Mit dem Wort
– durchdringender Vers,
Degen aus Sonne
und Funke –
werde ich dich erlösen
aus der Erde der Toten.

In meinem Mund,
der klagt und der schweigt,
wirst du in dieser späten Stunde
der Zeit, die nach dir kommt,
allmählich wieder zum strömenden Fluss.

Mit deinen eigenen Schritten
kehrst du aus der Asche zurück,
die der Tod dir auferlegte.
Trotzig und schwerelos besuchst du
die von den Bajonetten der Zeit
ummauerten Lager.

A PALAVRA CONTRA O MURO   ZEIT DER WIDRIGKEITEN

Sob os olhos engatilhados
                    dos fuzis,
recolhes entre os destroços
deste sonho de Liberdade
que perseguias,
pedaços de esperança,
antigos relâmpagos
sem luz e sem urgência,
os sapatos desatados
de teus irmãos
de marcha e de massacre,
                    a dor,
o canto devorado
pelo silêncio dos quartéis,
esta intensa matéria-prima
de mel e fulgor
que nutre a vida humana
e a humana resistência.

E adivinho, com as pupilas gastas
pela voracidade dos refletores,
teu coração recobrando a surda força
dos vulcões e o sangue
– lava submetida –
voltando a fluir entre os ossos.

Do fundo deste rio
de palavra e agonia
que desatei,
vislumbro tuas mãos
– pássaros renascidos –
a recortar o espaço
em madeira e memória,
a convocar sobre a tela

Pedro Tierra

Unter den entsicherten Augen
                der Gewehre
sammelst du aus den Trümmern
dieses Freiheitstraumes,
den du verfolgtest,
Fetzen der Hoffnung,
Blitze alter Zeit,
erloschen und kraftlos,
die aufgeschnürten Stiefel
deiner Brüder
nach Marsch und Massaker,
                den Schmerz,
den vom Schweigen der Kasernen
verschlungenen Gesang,
diesen durchdringenden Urstoff
aus Honig und Glanz,
der das menschliche Leben nährt
und den menschlichen Widerstand.

Ich ahne mit den von gefräßigen
Scheinwerfern verschlissenen Pupillen,
wie dein Herz die heimliche Kraft
der Vulkane zurückgewinnt und das Blut
– unterdrückte Lava –
von Neuem die Knochen speist.

Aus der Tiefe dieses Flusses
meiner Worte und meiner Qual,
den ich entfesselte,
sehe ich schemenhaft, wie deine Hände
– wiedergeborene Vögel –
den Raum schnitzen
aus Holz und Erinnerung,
sehe, wie sie auf der Leinwand

do tempo que testemunhas,
a multidão inumerável
de violetas, gerânios,
rosas, hibiscos, jasmins,
o sangue breve dos cravos,
a cor profunda do barro
que a mão humana plantou,
a funda espera do Povo,
a marcha do Homem Novo
que o Homem Novo sonhou.

E martelo
um canto de força
que sobe do fundo,
da raiz dos homens,
um canto na praça
traçado na marcha
do Povo sem nome:
um canto pra renascer.

Recolho teus passos.
As marcas deixadas,
no muro e no peito,
os dedos feridos, as mãos por fim
recompostos,
e te entrego ao Povo
com um verso de aço
e pungência:
Antônio Benetazzo,
o que amava a pintura
e foi assassinado,
o acendedor de meteoros,
contra a noite, contra a morte
está entre nós e permanecerá!

Pedro Tierra

der Zeit, die du bezeugst,
zusammenrufen die unzähligen
Veilchen, Geranien und Rosen,
den Hibiskus und den Jasmin,
das kurzlebige Blut der Nelken,
die dunkle Farbe des Lehms,
den die Hand des Menschen bepflanzte,
das beständige Hoffen des Volkes,
den Weg des Neuen Menschen,
den der Neue Mensch erträumte.

Und ich hämmere
einen Gesang der Kraft,
der aus der Tiefe steigt,
aus der Wurzel der Menschen,
einen Gesang auf dem Platz,
ersonnen auf dem Marsch
des Volkes ohne Namen:
ein Lied der Wiedergeburt.

Ich lese deine Schritte auf.
Die auf Mauer und Brust
hinterlassenen Spuren,
die verletzten Finger, die endlich
wieder heilen Hände,
und ich übergebe dich dem Volk
mit einem Vers aus
schneidendem Stahl:
Antônio Benetazzo,
der die Malerei liebte
und ermordet wurde,
der Meteoren anzündete
gegen die Nacht, gegen den Tod,
ist unter uns und wird bleiben!

REGRESSO À TERRA

Entro em meu poema
com as mãos atadas.
Luas acorrentadas
ferem-me o pulso
num riso de ferros
comprometidos.

Não espere um gesto de Liberdade.
Este poema nasceu escravo.
Eu próprio nasci escravo.

Entro em meu poema,
amordaçado.
Em minha boca
palavras cegas
buscam o som de cinzas
                        adormecidas.

As palavras,
        a pedra,
               a treva
formam um corpo
impossível de proferir.
Este poema não é murmúrio,
é vidro quebrado na garganta,
grito mastigado
na hora do suplício.

Pedro Tierra

RÜCKKEHR ZUR ERDE

Ich beginne mein Gedicht
mit gebundenen Händen.
Gefesselte Mondsicheln
verletzen meine Handgelenke
mit dem Lachen
dienstfertiger Eisen.

Erwarte kein Zeichen der Freiheit.
Dieses Gedicht wurde als Sklave geboren.
Ich selbst wurde als Sklave geboren.

Ich beginne mein Gedicht
geknebelt.
In meinem Mund
suchen blinde Wörter
den Klang schlafender
     Asche.

Die Wörter,
   der Stein,
      die Finsternis
bilden einen
unaussprechlichen Körper.
Dieses Gedicht ist kein Murmeln,
ist zersplittertes Glas im Rachen,
ein in der Stunde der Qual
zermalmter Schrei.

A PALAVRA CONTRA O MURO ZEIT DER WIDRIGKEITEN

Entro em meu poema,
pássaro convocado
pelo sol.
Junto a palavra à pedra
e com elas levanto barricadas.
Liberto a palavra da sombra
e escrevo na pedra
o contorno provisório dos meus sonhos.
A palavra nua faz-se poesia
e me torna mais claro
ao fim do verso.

Do escravo faz-se o resistente.
Aqui entrego minha bandeira.
Regresso à terra.
Serei o barro de um país em luta.
Raiz de troncos calcinados,
alimentarei a hora dos incêndios.

Pedro Tierra

Ich beginne mein Gedicht,
ein von der Sonne
berufener Vogel.
Ich füge das Wort dem Stein hinzu
und errichte mit ihnen Barrikaden.
Ich befreie das Wort aus dem Schatten
und ritze in den Stein
die einstweiligen Umrisse meiner Träume.
Das nackte Wort wird zum Gedicht
und verleiht mir am Ende des Verses
schärfere Konturen.

Der Sklave wird zum Widerstandskämpfer.
Hier übergebe ich meine Fahne
und kehre zur Erde zurück.
Ich werde der Lehm eines Landes im Kampfe sein.
Wurzel verkohlter Stämme,
werde ich das Feuer in der Stunde des Brandes nähren.

O MURO

... E quando a terra que nutria o sonho e o cristal, exausta se entregou às fogueiras do sol e do deserto, e os movimentos da vida escassearam, e a sombra dos homens, porque já então éramos sombras, foi buscando esse tom cinza que trazemos agora, cresceu o muro. Não em altura, que já então era alto o suficiente para tocar o telhado sujo da noite e roubar-nos completamente o horizonte, mas em volume, em espessura, sufocando com sua pedra e sua cinza o espaço cobrado pelo corpo. O muro abandonou seus alicerces. Dotou-se de raízes como cercas-vivas. Não para fixar-se à terra, mas sugar dela a força que nos mantinha pulsando. Não para elaborar flores como a árvore sem saber as elabora, mas para alimentar sua armadura de pedras e tristezas. Avançou sobre nós compacto e turvo. Devorou o corpo dos anciãos, dissolveu com seu fogo o ar que respirávamos. A cada manhã conferíamos um território a menos: mais escasso o corredor, mais breve o dia, mais estreito o catre. Tudo se impregnara da substância do muro. Tudo se cerrara. Os sapatos recusando caminhos, a garganta retendo palavras, as portas, aos poucos, ganhando a feição de paredes, as janelas, sempre fechadas desde que nascera o muro, o tempo as desfigurara em travas de ferro e agonia. Passamos a carregar o muro nos tornozelos e nos pulsos, a sonhar com o muro, a enxergar o muro no rosto das sentinelas, nos olhos de nossos filhos...

DIE MAUER

... und als die Erde, die den Traum und den Kristall nährte, sich erschöpft dem Feuer der Sonne und der Wüste ergab und die Bewegungen des Lebens allmählich abnahmen und der Schatten der Menschen – denn schon damals waren wir nur noch Schatten – diesen aschfarbenen Ton erwarb, den wir jetzt angenommen haben, da begann die Mauer zu wachsen. Nicht an Höhe, war sie doch damals schon hoch genug, um das schmutzige Dach der Nacht zu berühren und uns des Horizontes vollständig zu berauben, sondern an Umfang, an Stärke, und an ihren Steinen und ihrer Asche erstickte der vom Körper benötigte Raum. Die Mauer entwuchs ihrem Fundament. Sie trieb Wurzeln wie eine Hecke. Nicht, um sich in der Erde zu verankern, sondern um aus ihr die Kraft zu saugen, die uns am Leben hielt. Nicht, um Blüten hervorzubringen, wie der Baum sie unwissentlich hervorbringt, sondern um ihren Panzer aus Steinen und Betrübnissen zu nähren. Massiv und finster rückte sie gegen uns vor. Sie verschlang den Leib der Ältesten, verdünnte mit ihrem Feuer die Luft, die wir atmeten. Jeden Morgen stellten wir den Verlust eines weiteren Gebietes fest: Enger war der Gang, kürzer der Tag, schmaler die Pritsche. Alles war von der Substanz der Mauer durchdrungen. Alles hatte sich verschlossen. Die Schuhe verweigerten den Weg, die Kehle hielt Wörter zurück, die Türen wurden nach und nach zu Wänden, die Zeit verunstaltete die seit dem Entstehen der Mauer stets geschlossenen Fenster zu Eisengittern der Todesangst. Wir begannen, die Mauer an den Fuß- und an den Handgelenken zu tragen, von der Mauer zu träumen, die Mauer zu sehen in den Gesichtern unserer Wächter, in den Augen unserer Kinder ...

A HORA DOS FERREIROS

Para Nicarágua

Quando o sol ferir
com punhais de fogo
                    e forja
a exata hora dos ferreiros,
varrei o pó da oficina
e a mansidão dos terreiros,
libertai a alma dos bronzes
                    e dos meninos,
desatada em som
e nesta aguda solidão
que em ondas se apazigua
– ponta de espinho antigo
na carne
        do coração.

Convocai enxadas,
foices, forcados, facões,
grades, cutelos, machados,
a pesada procissão dos ferros
afeitos ao rigor da terra
                    e da procura
e, por fim, as mãos,
                    resignadas,
multiplicadas no cereal maduro.

Mãos talhadas em silêncio
                    e ternura,

Pedro Tierra

DIE STUNDE DER SCHMIEDE

Für Nicaragua

Wenn die Sonne sticht
wie glühende Dolche
                       und im Feuer formt
die genaue Stunde der Schmiede,
dann fegt den Staub aus den Werkstätten
und die Sanftheit von den Plätzen,
befreit eure in Wohlklang eingehüllte Seele
von der Sorge um Eigentum
                       und Familie
und spürt in dieser durchdringenden Einsamkeit,
die in Wellen sanft verebbt,
die Spitze des alten Stachels
in der Tiefe
                       eures Herzens.

Stellt Hacken zusammen,
Sicheln, Heugabeln, Buschmesser,
Eggen, Beile und Äxte,
die gewichtige Prozession der Eisen,
den Härten des Feldes
                       und der Suche angepasst,
und dann
        die müden Hände,
belohnt durch die Fülle des reifen Korns.

In Stille und Hingabe
                     zerfurchte Hände,

que plantam a cada dia
sementes de liberdade
e colhem ao fim da tarde
celeiros de escravidão.

Esgotou-se o tempo de semear
e inventou-se a hora do martelo.
Retorcei na bigorna outros anelos
e a força incandescente deste mar
de ferros levantados.

Esgotou-se o tempo de consentir
e pôs-se a andar
a multidão dos saqueados
contra os cercados do medo.

Homens de terra
                e relâmpago!
Convertei em fuzis vossos arados,
armai com farpas e pontas
a paz de vossas espigas!

Pedro Tierra

die tagtäglich
die Saat der Freiheit ausstreuen
und am Abend
vor Kornspeichern der Knechtschaft stehen.

Abgelaufen ist die Zeit des Säens
und erfunden die Stunde des Hammers.
Formt auf dem Amboss andere Sehnsüchte
und die blendende Kraft dieses Meeres
revoltierender Eisen.

Abgelaufen ist die Zeit der Billigung,
und erhoben hat sich
das Heer der Ausgeplünderten
gegen die Barrieren der Angst.

Männer des Bodens
                    und der Tat!
Macht eure Pflüge zu Gewehren,
und bewehrt mit Stacheln und Spitzen
den Frieden eurer Ähren!

OS MENINOS DO NÃO

NÃO amanheceram sob os cobertores.
NÃO mastigaram o pão da manhã.
NÃO traçaram sobre o papel
    o desenho incerto
    das primeiras letras.
NÃO brincaram no parque
    dos outros meninos.

NÃO havia cobertores,
    havia o vento da madrugada
    cortando a boca cerrada
    no caminhão dos boias-frias.

NÃO havia pão,
    havia o chá amargo,
    a vida amarga
    queimando a língua e o sonho.

NÃO havia papel,
NÃO havia escola,
NÃO havia futuro,
meninos do NÃO.

Nas mãos, uma tristeza
infinitamente...
As mãos destes pequenos
são mais adultas do que seus olhos...

Pedro Tierra

DIE KINDER DES NEIN

NEIN, für sie gab es kein Aufwachen
 unter wärmenden Decken
 und zum Frühstück kein Brot.
 Sie brachten nicht zu Papier
 die unbeholfenen Umrisse
 der ersten Buchstaben.
NEIN, sie spielten nicht auf den Plätzen
 der anderen Kinder.

NEIN, es gab keine wärmenden Decken,
 es gab den schneidenden Wind,
 der ihnen morgens
 auf dem Lastwagen der Tagelöhner
 die zusammengepressten Lippen aufplatzen ließ.

NEIN, es gab kein Brot,
 es gab den bitteren Tee,
 das bittere Leben,
 die Zunge und Träume verbrannten.

NEIN, es gab kein Papier,
 es gab keine Schule,
 es gab keine Zukunft,
 Kinder des NEIN.

In ihren Händen
eine nicht enden wollende Traurigkeit ...
Die Hände dieser Kleinen
haben mehr erfahren als ihre Augen ...

TRAMA

... E se o corpo é uma canoa
de madeira amarga
                      e terna,
a alma é um rio agudo
que me lavra na madeira
com dedos de água
                      e fuga
a marca dos meus roteiros.

Dedos sábios de rendeira
tecem em fios incontáveis
a trama do meu destino:
fina renda nordestina
improvisando cantigas
sobre a almofada da vida.

O que fui, o que serei,
se madeira,
            se cambraia,
nas mãos do Povo se traça.
O poeta canta o tempo
e o tempo é de navegar,
serei canoa a varar
as cidadelas do vento,
ou em renda me enredo
e me afirmando
                    me nego
neste rio ou neste mar
sem saber me extravio
na trama de outro tear.

Pedro Tierra

GEWEBE

... Und wäre der Körper ein Boot
aus bitterem und
         weichem Holz,
so wäre die Seele ein stechender Fluss,
der mir den Verlauf meiner Wege
in den Bug schneidet
mit Fingern wie Wasser
         und Flucht.

Die weisen Hände einer Spitzenklöpplerin
weben aus unzähligen Fäden
das Gewebe meiner Bestimmung:
feine Spitze des Nordostens,
Schlaflieder einübend
auf dem Kissen des Lebens.

Was ich war, was ich sein werde,
ob Ebenholz,
         ob Batist,
in den Händen des Volkes liegt der Entwurf.
Der Dichter besingt die Zeit
— die Zeit gehört den Seefahrern —,
und ich werde ein Boot sein,
das die Festungen des Windes erstürmt,
oder mich verwickeln in der Spitze Netz,
mich bejahend
         mich verneinen
auf diesem Fluss oder auf wilder See,
mich am Ende unmerklich verstricken
im Gewebe fremder Hände.

O MOLDE

O molde modela a renda.
O molde
        modela o dia
antecipando no traço
do arabesco rebuscado
a dança de cada fio.

Traçado no papelão
de uma caixa de sapatos
o molde anuncia a trama,
dos caminhos
                infinitos
onde a renda
                se derrama.

Ou nessa teia de enganos
a vida é que se derrama
e vai modelando o molde
sobre a areia dos caminhos,
na casa das ventanias?

A vida é rendeira ou renda?
A vida é rendeira
                e renda
que a si mesma se trança
na dança
        de cada passo,
no traço de cada drama.

Pedro Tierra

DIE VORLAGE

Die Vorlage bestimmt die fertige Spitze.
Die Vorlage
        bestimmt der Tage Werk,
in der Linienführung
der feinen Arabesken
den Tanz eines jeden Fadens vorwegnehmend.

Aufgezeichnet auf den Deckel
eines Schuhkartons,
kündigt die Vorlage die Verflechtungen
der endlosen
        Wege an,
in denen die Spitze
        sich verfängt.

Oder verfängt sich gar das Leben selbst
in diesem Netz der Irrungen
und entwirft allmählich die Vorlage
auf sandigen Wegen
und dort, wo es stürmt?

Klöppelt das Leben den Faden zu Spitze,
oder ist es die fertige Spitze?
Das Leben ist Klöpplerin und
                Spitze zugleich,
die sich selbst verflicht
im Tanz
       eines jeden Schrittes,
im Muster eines jeden Dramas.

RECOMEÇO

Este poema é para Alexandre,
meu irmão assassinado,
e meu filho Alexandre, que acaba de nascer.

Você se libertou
do ventre das angústias.

Nasceu da vigília,
antes que despontasse
                    o sol.

Emudeço.
Contido a meio caminho
entre soluço
          e grito.

Assim tão frágil,
não sei se te chamo
meu irmão
          ou filho.

Nesta madrugada
do recomeço,
você é
– eu o sinto
como a ponta de uma estrela
a riscar o céu vazio
              do peito –,

Pedro Tierra

NEUBEGINN

Dieses Gedicht ist für Alexandre,
meinen ermordeten Bruder,
und für meinen Sohn Alexandre, der soeben geboren wurde.

Du befreitest dich
aus dem Schoße der Beklemmungen.

Wurdest der Schlaflosigkeit entbunden
vor dem Aufgehen
         der Sonne.

Ich verstumme.
Verharre auf halbem Wege
zwischen Schluchzen
         und Aufschrei.

Du bist so schutzbedürftig,
dass ich nicht weiß, ob ich dich nennen soll
meinen Bruder
         oder Sohn.

In diesem Morgenrot
des Neubeginns
bist du
– ich spüre es
wie das Stechen eines Sterns
im entleerten Himmel meiner
         Brust –,

você é, eu dizia,
o irmão tragado pela noite,
que retorna
com gesto de luz acesa.

E mais que irmão,
esse (es)colhido
entre tantos rostos
na batalha,
você retorna
de dentro de minhas veias
onde te guardei,
ardendo como um sol
em véspera de explodir.

Meu filho
    e
meu irmão,
aqui te devolvo aos teus
e te retenho em mim
como se esconde
a matéria sutil
          da esperança...

Pedro Tierra

bist du, so sagte ich,
der von der Finsternis verschlungene Bruder,
der zurückkehrt
und helles Licht verbreitet.

Mehr als ein Bruder,
du unter so vielen Gesichtern
auf dem Schlachtfeld
(Aus-)Erwählter,
du kehrst
aus der Tiefe meiner Adern,
wo ich dich bewahrte,
zu mir zurück wie eine glühende Sonne,
kurz bevor sie explodiert.

Mein Sohn
    und
mein Bruder,
hier gebe ich dich den Deinen zurück
und behalte dich in mir,
wie man verbirgt
den empfindlichen Stoff
                  der Hoffnung ...

ANA TERRA

Eu conheço uma menina
de olhos de noite clara
e infinita doçura,
onde vou buscar ternura
pra desfiar o mistério
traçado por meu destino.

Eu conheço uma menina
de tão doce polegar,
que lhe daria
dez luas,
o movimento do mar,
uma colheita de estrelas,
o canto de cem violas,
um quintal de graviolas
uma cantiga de ninar,

por um beijo lambuzado
de alegria
no meu dia
        de voltar...

Pedro Tierra

ANA TERRA

Ich kenne ein kleines Mädchen
mit Augen wie eine helle Nacht,
von unendlicher Sanftheit,
in denen ich Zärtlichkeit suche,
um das mir vom Schicksal
bestimmte Geheimnis besser zu entwirren.

Ich kenne ein kleines Mädchen
mit einem Daumen so süß,
dass ich ihr gäbe
zehn Monde im Reigen,
die Wogen von sieben Meeren,
einen Garten voll mit wilden Beeren,
des Himmels allerschönste Sterne,
das Spiel von hundert Geigen
und ein Wiegenlied aus der Ferne

für einen klebrigen Kuss
der Freude
am Tage
      meiner Heimkehr ...

METAL E SONHO

Organizar a Esperança,
conduzir a Tempestade,
romper os muros da Noite,
criar sem pedir licença,
um mundo de Liberdade.

Trabalhar a dor,
trabalhar o dia,
trabalhar a flor,
              irmão,
e a coragem
de acender a rebeldia!

No clamor das oficinas
moldamos metal e sonho,
banhada em sal e suor,
forjamos a ferramenta,
Central dos Trabalhadores.

Convocar todos os sonhos
e as mãos das companheiras,
feitas de espera e de flor,
tecendo nossas bandeiras
na trama de cada dor.

Arrastar todas as cercas,
que as enxadas voltarão
à terra-mãe de lavrar
e dividir o sertão,
liberto como outro mar.

Pedro Tierra

METALL UND TRAUM

Der Hoffnung Gestalt verleihen,
den Sturm lenken,
die Mauern der Nacht durchbrechen,
ohne um Erlaubnis zu bitten,
eine Welt der Freiheit erschaffen.

Den Schmerz bewältigen,
den Tag bewältigen,
die Blumen pflegen,
               Bruder,
und den Mut aufbringen,
den Widerstand zu entfachen!

Im Getöse der Werkstätten
geben wir Metall und Traum eine Form,
schmieden wir das Werkzeug,
das getränkt ist in Salz und Schweiß,
Zentrale der Arbeiter.

Alle Träume zusammenfügen
und die Hände der Gefährtinnen,
die, bestehend aus Erwartung und Zärtlichkeit,
unsere Fahnen weben
nach dem Muster eines jeden Leids.

Alle Zäune einreißen.
denn die Hacken kehren zurück,
den Mutterboden zu bestellen,
und den Sertão aufteilen,
befreit wie ein anderes Meer.

Levantar os oprimidos,
que os tiranos tremerão
e aos palácios destruídos
avançaremos unidos
no passo da multidão.

Retomamos a memória,
na batalha das cidades
empunhamos nossa história,
já não há quem nos detenha,
nós somos a Tempestade.

Pedro Tierra

Die Unterdrückten aufrichten,
denn die Tyrannen werden erzittern,
zu den zerstörten Palästen
werden wir vereint vorrücken
im Gleichschritt der Massen.

Wir gewinnen unser Gedächtnis zurück,
im Kampf in den Städten
nehmen wir unsere Geschichte in die Hand,
es gibt keinen mehr, der uns aufhielte,
denn wir sind der Sturm.

INVENTAR O FOGO

I.

Uma brisa ágil
fugiu do mar.
Varreu os areais,
meteu-se pelos becos,
                            pelos cais,
bateu à porta
das oficinas,
percorreu as ruas mortas,
arrepiou a contravento
a correnteza dos rios,
assobiou na corda tensa dos fios,
soprou bandeiras nos varais,
cantou cantigas de cordel,
visitou a cidade
                e seus vazios,
preparou a pólvora
                    e o sonho,
inventou o fogo
na casa da escuridão
e ensinou às nossas bocas
                            desunidas
uma canção de clarear.

II.

Canto a canto
os galos do Povo
suspenderam no azul
a manhã mobilizada.

Pedro Tierra

DAS FEUER ERFINDEN

I.

Eine behände Brise
entfloh dem Meer.
Fegte die Sandstrände entlang,
drang ein in die Sackgassen,
                         die Häfen,
klopfte an die Tür
der Werkstätten,
wehte durch die toten Straßen,
kräuselte die Strömung der Flüsse
im Gegenwind,
pfiff durch die gespannten Saiten der Drähte,
ließ Fahnen auf den Wäscheleinen flattern,
sang Lieder des Volkes,
besuchte die Stadt
                 und ihre Leerräume,
bereitete das Pulver
                 und den Traum,
erfand das Feuer
im Hause der Dunkelheit
und lehrte unsere
               uneinigen Stimmen
ein Lied für den Morgen.

II.

Mit jedem Krähen
ließen die Hähne der Bauern
den bewegten Morgen
ersterben in Blau.

A PALAVRA CONTRA O MURO   ZEIT DER WIDRIGKEITEN

A roda se deteve
sobre os trilhos
nos subterrâneos da cidade.

E as mãos ásperas
               dos pedreiros,
como pássaros fatigados,
mais afeitos à marcha
que ao voo,
baixaram
       dos andaimes
               despertadas.

O tijolo rejeitou a massa.
Recusou a pedra,
       o prumo,
             a esquadria,
o canto geral conteve o braço
e o voo dos edifícios se estancou
na ponta seca
       dos aços,
na claridade do dia.

O arado repousou sobre a terra.
Madurou na espiga o cereal,
a foice dobrada ao pé do eito,
a refletir faíscas sob o sol,
represou o corte
             e a colheita.

Pedro Tierra

Die Räder blieben stehen
auf den Schienen
in den Schächten der Stadt.

Und die rauen Hände
                der Maurer,
wie ermüdete Vögel,
eher ans Laufen gewöhnt
denn ans Fliegen,
stiegen
       erwacht
              von den Gerüsten herab.

Der Backstein stieß den Mörtel ab.
Es widersetzten sich der Stein,
                    das Lot,
                              das Winkelmaß,
der allgemeine Gesang hielt den Arm zurück,
und der Höhenflug der Gebäude kam zum Stillstand
an den trockenen Enden
                der stählernen Bauteile
an diesem hellen Tag.

Der Pflug ruhte auf dem Acker.
An der Ähre reifte das Korn,
die Sichel lag in der Furche,
in der Sonne funkelnd,
und verweigerte den Schnitt
                und die Ernte.

A máquina cedeu num momento
ao comando da mão
                        que governa
e saltou sobre o grito dos ferros
o clamor dos homens
                        fraternos,
forçando o silêncio dos tornos.

III.

Preparar a pólvora
                        e o sonho,
inventar o fogo
na casa da escuridão
e ensinar às nossas bocas
                        reunidas
uma canção de Libertar.

Pedro Tierra

Die Maschine gehorchte auf einmal
dem Befehl
         der gebietenden Hand,
und über das schrille Getöse des Eisens
erhob sich der plötzliche Schrei der verbrüderten
                                        Männer
und erzwang das Schweigen der Drehbänke.

III.

Das Pulver und den Traum
         bereiten,
das Feuer erfinden
im Hause der Dunkelheit
und lehren unsere
         vereinten Stimmen
ein Lied für die Freiheit.

TRADUÇÃO DE
CURT MEYER-CLASON
E SARITA BRANDT

ÜBERTRAGEN VON CURT MEYER-CLASON
UND SARITA BRANDT

SARITA BRANDT nasceu em 1945 em Montenegro, RS, Brasil e estudou Filosofia, Português e Pedagogia em Porto Alegre, São Paulo e Berlim. É intérprete de conferência e membro da Association Internationale des Interprètes de Conférence (AICC), bem como tradutora literária. Traduziu obras de diferentes gêneros literários (prosa, poesia, ensaio) de autores brasileiros, portugueses, africanos e alemães, dentre os quais Ana Luísa Amaral, Clarice Lispector, Ferreira Gullar, Hannah Höch, João de Jesus Paes Loureiro, José Saramago, Manuel Alegre, Maria Isabel Barreno, Mia Couto, Sebastião Uchoa Leite e Vasco Graça Moura. Vive em Berlim, Alemanha, e em Cascais, Portugal.

CURT MEYER-CLASON (1910–2012) foi comerciário, revisor de textos e diretor do Instituto Goethe de Lisboa antes de se tornar renomado tradutor, organizador de publicações e narrador. Ele traduziu obras de autores lusófonos e hispanófonos dentre os quais Jorge Amado, João Cabral de Melo Neto, Gabriel García Márquez, João Guimarães Rosa e César Vallejo. É visto como o mais importante »construtor de pontes« para a literatura latino--americana e, sobretudo, a literatura brasileira.

A tradução dos poemas com as iniciais SB é de Sarita Brandt, a dos poemas com as iniciais CMC é de Curt Meyer-Clason (veja página 5).

SARITA BRANDT, geb. 1945 in Montenegro, RS, Brasilien, hat in Porto Alegre, São Paulo und Berlin Philosophie, Portugiesisch und Pädagogik studiert. Sie ist Konferenzdolmetscherin und Mitglied der Association Internationale des Interprètes de Conférence (AIIC) sowie Literaturübersetzerin. Zu ihren Übersetzungen zählen Werke brasilianischer, portugiesischer, afrikanischer und deutscher Schriftsteller verschiedener Genres (Prosa, Lyrik, Essay) wie Ana Luísa Amaral, Clarice Lispector, Ferreira Gullar, Hannah Höch, João de Jesus Paes Loureiro, José Saramago, Manuel Alegre, Maria Isabel Barreno, Mia Couto, Sebastião Uchoa Leite und Vasco Graça Moura. Sie lebt in Berlin und Cascais, Portugal.

CURT MEYER-CLASON (1910–2012) war Kaufmann, Verlagslektor und Leiter des Goethe-Instituts in Lissabon, bevor er sich als Übersetzer, Herausgeber und Erzähler einen Namen machte. Er übersetzte Werke portugiesisch- und spanischsprachiger Autoren, u. a. von Jorge Amado, João Cabral de Melo Neto, Gabriel García Márquez, João Guimarães Rosa und César Vallejo. Er gilt als bedeutender Brückenbauer zur lateinamerikanischen und insbesondere zur brasilianischen Literatur.

Die Gedichte mit den Initialen SB übertrug Sarita Brandt, die mit CMC Curt Meyer-Clason (siehe Seite 5).